はみがき
おわって、
ほら
みんなのは・
ピッカ
ピカ！

赤ちゃん版ノンタン⑧　ノンタン　はみがき　はーみー　　　　作絵／大友幸子

1989年10月1刷　1991年9月9刷　　　　　　　　　　　　N D C 913.　24P

発行者／今村　廣　　　　　　　　　　　　　　　　　ISBN4-03-128080-7

発行所／偕成社　東京都新宿区市ガ谷砂土原町3−5　☎162　　振替 東京5-1352番

印刷／大昭和紙工産業K.K.　製本／コスモブック

＊落丁・乱丁本がありましたらお取り替えします。その他お気づきの点がございましたらお知らせください。

偕成社は、平日も休日も24時間、電話でもFAXでも本のご注文をお受けしています。どうぞご利用ください。**電話** 03-3260-3221(代)　FAX 03-3267-0124

はみがき　はーみー、

しゅこ　しゅこ　しゅこ

しゅっ　しゅ。

みんなで
しゅっ
しゅっ しゅっ、
しゅこ しゅこ
しゅこ しゅこ
しゅっ
しゅ。

はみがき　はーみー、

しゅこ　しゅこ

しゅっ　しゅ。

くまさんも
イイィのいーして、

はみがき　はーみー、
しゅこ　しゅこ
しゅっ　しゅ。

ぶたさんも
イイイのイーして、

はみがき　はーみー、

しゅこ　しゅこ

しゅっ　しゅ。

たぬきさんも
イイイのいーして、

はみがき　はーみー、
しゅこ　しゅこ
しゅっ　しゅ。

うさぎさんも
イイのイーして、

はみがき　はーみー、

しゅこ　しゅこ

しゅっ　しゅ。

ノンタンが
イイイのイーして、

赤ちゃん版 ノンタン

おおとも
さちこ作・絵

はみがき　はーみー

●赤ちゃん版　ノンタン 8